COLLECTION FOLIO

Christian Bobin

Souveraineté du vide

SUIVI DE

Lettres d'or

Gallimard

Christian Bobin est né en 1951 au Creusot. Il est l'auteur d'une vingtaine d'ouvrages dont les titres s'éclairent les uns les autres, comme les fragments d'un seul puzzle. Entre autres : *Souveraineté du vide, Éloge du rien, L'enchantement simple, L'autre visage, Le Très-Bas, La part manquante.*

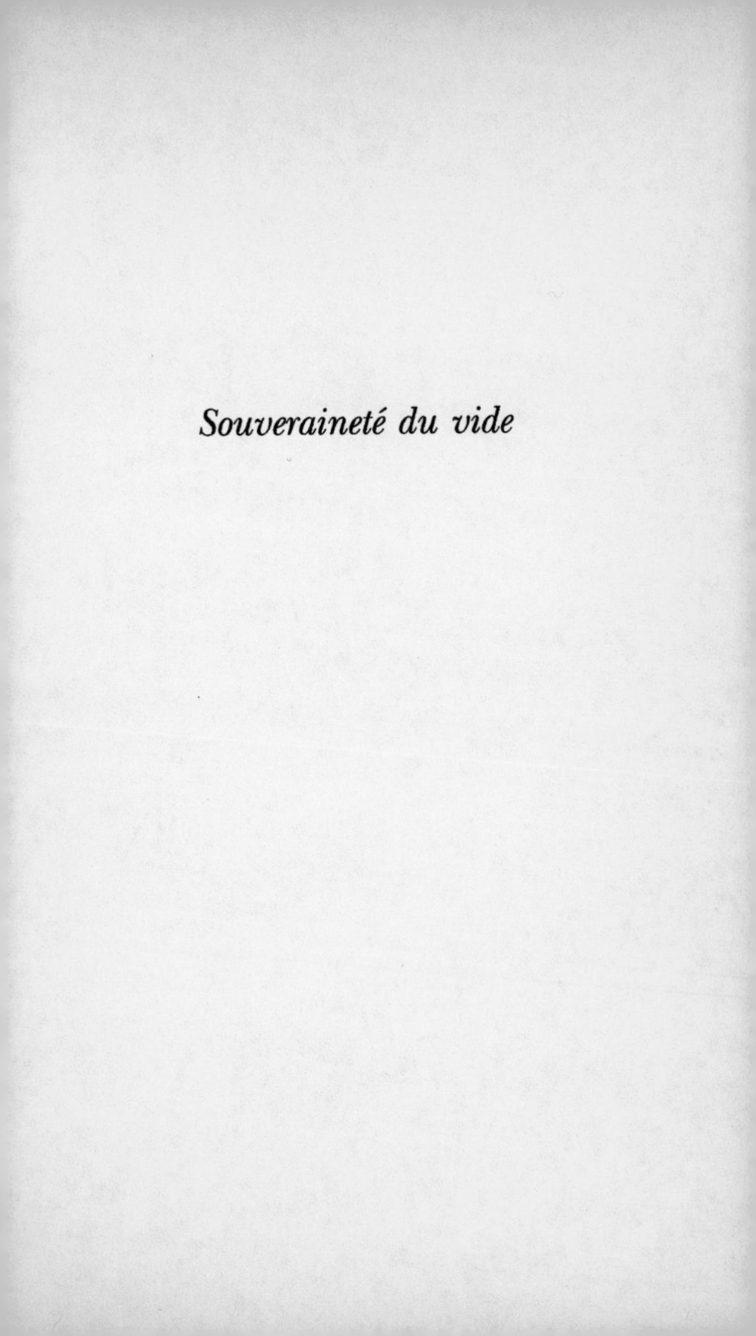

Souveraineté du vide

Vous seriez loin de votre vie. Comme toujours, n'est-ce pas : un état ordinaire, banal. Le corps irait tout seul vers l'abîme, avec l'élan acquis de l'âge. Et sous la fraîcheur du sang, une faiblesse, une cendre. Une nostalgie : l'âme. Malade, oui. Sans doute : malade. Le vrai nom de la maladie, ce serait l'enfance. Comme telle, inguérissable. Elle aurait aussi un autre nom : la vie. Ce ne serait en rien une vie intérieure, une arrière-vie, une clairière momentanément hors d'atteinte et dans quoi, par un clair matin, l'on pourrait pénétrer. Ce serait une maladie, voilà tout, et la conscience que vous en auriez serait aussi bien la conscience de l'insuffisance profonde de tous remèdes.

Un jour, dans cette absence égale, chronique, vous recevriez ces lettres, trois lettres. L'apparence serait celle d'un livre. L'auteur, ce serait vous, c'est-à-dire un autre. Un passant. Une ombre, lointaine. Personne.

I

Les livres. Ils sont sur ma table. Je les ai ouverts, au hasard. Je les ai feuilletés. Un apaisement est venu, dont je ne savais pas avoir besoin. Un bonheur de lire, antérieur à l'acte même de lire. Une lumière dérobée par ce premier regard, distrait, rapide. Une lumière anticipant la lumière enclose dans ces pages. Puis j'ai refermé les livres. Plus tard. La lecture viendrait plus tard, bien plus tard. La nuit convenait mieux, pour lire, la nuit convient mieux, cette égalité enfin établie entre l'obscurité du dedans et l'obscurité du dehors. Je suis parti. Je suis allé me promener, j'ai vu des gens. L'idée m'est venue de vous écrire une lettre, cette lettre, l'idée d'une lettre infinie, sans suite. Interrompue, souvent, comme est interrompue la lecture, comme est révoqué l'état de lecteur, l'état d'absence, par le bruit d'une porte qui se ferme, par l'avancée soudaine de l'aube, par le désastre du sommeil.

Sans doute connaissez-vous ce texte de Valéry sur « Les deux vertus d'un livre » : *C'est là la lecture. On lui pourrait donner pour symbole l'idée d'une flamme qui se propage, celle d'un fil qui brûle de bout en bout, avec de petites explosions et des scintillations de temps à autre.* Ce texte pourrait, sans qu'il soit nécessaire d'en changer une ligne, un mot, s'appliquer à définir l'indéfini de l'amour, à délimiter l'illimité de la vie. Ce qui n'obtient de lumière sur soi que de sa propre destruction. Brûlures. Brûlures continuelles jusqu'à celle, ultime, de la terre, du froid de la terre sur le corps.

La nuit. Crépuscule. Les lumières finissantes apaisent en moi un désir originel d'être consolé. Désir antérieur à toute perte, à tout deuil. Je regarde ces livres. Par la fenêtre, je vois la forêt, la masse sombre des arbres, appuyés contre la nuit. C'est la fin d'un après-midi de décembre. Je n'attends rien, je n'attends personne et sans doute est-ce là la vraie formule de l'attente : Rien. Personne.

L'enfant, le lecteur, pris dans l'apprentissage insomniaque de la vie en société, tenu dans cette bêtise générale par l'obligation faite de parler, toujours, de répondre présent, toujours, car il y a des questions, car il y a des appels, toujours, qui ne s'arrêtent pas, qui n'arrêtent pas de meurtrir le silence qui dort au fond de lui, le beau silence, le silence somnambule. La joie que c'est pour lui, de s'abstraire, d'ouvrir un livre, d'en finir avec toutes sollicitations, avec toutes compagnies, avec tous liens approximatifs. Purification. Entrée en lecture. Entrée en rêverie. Purification.

Lisant, non pas pour savoir, non pas pour apprendre, pour accumuler, pour entasser, pour acquérir. Non, rien de tout cela. Lisant bien plutôt pour oublier, pour se déprendre, pour perdre, pour se perdre. Redevenant seul, infiniment seul.

Assez seul pour ne plus l'être jamais.

Les livres établissent les coordonnées, tracent les cartes d'une contrée déserte, vouée à l'amour et aux herbes folles, traversée par des bêtes sauvages et douces, en quête de point d'eau, en quête du point d'eau du sommeil.

Ce toucher des mots, cette irradiation de la voix qui dans l'âme engourdie du lecteur détectent des nappes d'eau vive, des sources de feu : les vrais écrivains sont des sourciers. Des guérisseurs. La main magnétique de celui qui écrit se pose sur le cœur à nu du lecteur, résorbe la fièvre, change le sang en eau.

Le père aime bien cette image de l'enfant, allongé au milieu des livres, absent. Le visage que des rêveries tourmentent, il est si beau, il est si doux à surprendre. La mère, plus sage, craint quelque chose, qu'elle ne sait dire. Passion mortelle de la lecture. Les yeux échangent leur lumière contre la nuit des mots. Le corps abandonne ses forces présentes pour un au-delà improbable. L'enfant qui est en train de lire, c'est fini, il ne reviendra plus. Les pages lui communiquent leur pâleur. Les mots lui suggèrent le goût amer du voyage, du refus. La vraie vie, celle qui n'est pas dans les livres mais dont les livres témoignent, où est-elle ?

*

Un autre jour. J'ai oublié de vous parler de la neige qui est venue, hier, tardive, en début de soirée. De cette idée d'éternité qui est venue, avec elle, qui se confondait avec son mouvement, avec sa blancheur. Douceur effondrée, lentement effondrée. J'ai tout arrêté pour la regarder, et déjà cette lettre. Je ne sais pourquoi je vous écris cela. J'ai regardé cette neige. Longtemps. Je ne pensais pas. Je ne pensais à rien. Ou si j'avais des pensées, leur mouvement et celui de la neige ne faisaient qu'un seul. Cette fascination, cette indistinction maladive entre le dehors et le dedans n'est pas sans rapport avec ce que je veux vous dire. La lecture, le fait de lire n'en serait qu'une variante.

Il est un livre que j'ai lu et relu, mille et une fois, qui n'existe pas. J'ai pensé l'écrire. Je ne l'écrirai pas. Il ne s'y passe rien. Il n'y a qu'un seul personnage. C'est un enfant. Il porte deux noms : Lys, Pierre. Deux noms, deux vies simultanées, l'une recouvrant l'autre et la gardant de toute ordinaire corruption. Deux noms qui sont aussi ceux de deux ordres : minéral, végétal. De la pierre, il épouserait le trajet, lorsqu'une main l'a lancée : pur tracé, rectiligne, inflexible. De la fleur, il retiendrait la lenteur, ce long, cet interminable déploiement des forces. Une source verticale. Une flamme.

Le plus aimé de son âge, le plus rejeté : décevant. Au bout du compte, décevant. Rejeté pour cet amour même qu'il inspirerait et qui semblerait s'adresser à lui en pure perte, qu'il ne retiendrait pas, qu'il ne découragerait ni n'accueillerait, pour cet amour qui passerait au travers de lui comme l'air par une porte grande ouverte. Il lui manquerait de savoir fermer cette porte, une fois pour toutes. Il lui manquerait cette élémentaire vertu de faire le tri, de séparer, de tracer des marques.

Il ne serait pas dans l'invention du livre ni dans celle de la lecture qu'il serait possible d'en faire. Il serait dans une vie et dans un temps non répertoriés, comme on est à un an, à deux ans, comme on est de moins en moins par la suite. Très vite de moins en moins. Très vite plus du tout.

Une seule chose certaine, sûre, une seule : je le vois lire. Lire énormément, de façon effrayante. Imaginant cette excuse — la lecture, le fait d'être en train de lire ou d'avoir à lire — pour répondre par avance aux accusations qui ne sauraient tarder, aux reproches concernant son immobilité, son apathie, cette absence de tous sentiments convenus, concernant cette éternité où il va reposant.

La seule façon d'écrire son histoire, la seule façon d'espérer le rejoindre serait de faire ce livre comme lui fait toutes choses : sans préférence. Sans savoir. Dans l'identité de vivre et de mourir. Dans l'effroi de cette identité. Silence sur silence.

*

On compte avec ses doigts. On commence à compter à partir d'un an. La main indique bientôt, grande ouverte, cinq années, puis l'autre main rapidement se tend à son tour, puis toutes les deux se referment et s'ouvrent simultanément, plusieurs fois de suite, autant de fois que de dizaines, et le plus vite possible pour suivre le mouvement du temps, mais c'est inutile, la vitesse du temps est plus grande que celle des doigts qui se plient et se tendent, la vitesse du temps est plus grande que celle de la lumière, c'est celle de la nuit et la nuit est depuis toujours déjà là, on est surpris, tout s'est précipité et on n'a rien su retenir, mon dieu, qu'est-ce qui s'est passé, j'ai dû faire une erreur quelque part, j'ai dû heurter un mécanisme, fausser un rouage, et tout s'est affolé, tout s'est accéléré, tellement que le mouvement m'a déporté sur les bords, m'a éloigné du centre et le centre s'est creusé comme une plaie, comme une spirale, et tout venait s'abîmer dedans et moi je n'y étais pas, et moi je n'y étais pour personne, pour personne. La main, très vite, a fini de compter. Elle ne s'ouvre plus, maintenant. Elle est sèche. Elle fane avec les feuilles, sur le sol. Elle pourrit avec les pommes qui ont roulé sur le bord du chemin, qu'une rouille dorée tuméfie, amollit. On aura essayé, quand même, d'éviter l'inévitable. La main droite, celle qui entame les cinq premières années, on lui aura trouvé mille divertissements pour arrêter ce geste, cette litanie. Elle aura appris à cueillir des lumières, à saisir des silences du bout des doigts. Elle aura appris à tourner des pages. Quelle dérision. Lire, c'est compter à l'envers. Il y a toujours un chiffre plus petit, infinitésimal. De premiers mots, il n'y en a pas, il n'y en a jamais eu. Quelle dérision. On lit le mot : *Insupportable.* On lit la définition du mot : *Insupportable.* On voit que c'est précisément ce que l'on n'en finit pas de supporter. Manquent les racines du mot, les anciens usages. Manque l'essentiel, l'origine. Alors, on déchire la page. Alors, on recommence, la même page, toujours, la même lecture, toujours.

*

Du temps passe. Le temps passe. Je ne fais rien, voyez : j'écris cette lettre et puis je cesse de l'écrire et puis je la reprends. Je me promène, beaucoup. Je vais marcher sur Dieu dans les sous-bois, dans cette lumière étrange des sous-bois, dans cette lumière qui sourd de l'ombre, qui monte de la terre. Le froid de l'hiver avive les pensées, accroît la précision de la vue et l'ampleur des rêveries. Je rentre tard et c'est pour ouvrir des livres, pour entamer des lectures que je ne finirai pas.

À l'écart de tout. En retrait de tout. À l'écoute de tout. Usant des livres comme de frêles murailles à travers lesquelles serait perceptible l'écho des guerres les plus anciennes, les plus secrètes.

L'âme. Elle a la luisance et la pesanteur de l'encre. Elle a cette densité noire, plus lumineuse que la lumière du jour.

Lisant. Entretenant par les livres, par cet élémentaire assemblage de feuille, de fil, d'encre et de plomb, le rêve d'une pauvreté essentielle, d'une pauvreté plus grande que l'absence de tous biens. Cherchant je ne sais quoi. Cherchant. N'ayant besoin, pour vivre, que d'une poignée de mots et que d'une poignée équivalente de silence. Pas plus. Rien de plus. Ne parvenant jamais à satisfaire ce besoin. Découvrant là, à chaque fois, la faiblesse irréductible de tous les livres : ce qui est le plus proche du silence, étant par là même ce qui risque d'en détourner le plus, d'en distraire.

L'idée d'un chimérique renoncement aux livres : naïveté de ce rêve qui vient à ceux qui veillent trop tard, trop longtemps, sur trop de livres. Non. L'issue, s'il y en a une, serait dans une généralisation de la maladie : mobilisant pour chaque seconde de chaque jour ce désespoir d'abord circonscrit à la seule chambre de lecture, d'abord actif dans le seul temps de lire. Contemplant tout, visage, aurore, pierre, comme autant de livres proposés.

*

Ces deux phrases de Rimbaud, recopiées dans un cahier :

> *Les branches et la pluie se jettent à la croisée de la bibliothèque.*

Je me souviens de sa chambre de pourpre, à vitres de papier jaune : et ses livres, cachés, qui avaient trempé dans l'océan !

La première de ces phrases est extraite du quatrième sonnet d'*Enfance*, et la seconde figure au début d'un court récit : *Les déserts de l'amour.* Ces deux titres délimitent très précisément l'espace ouvert par la rêverie du lecteur. Deux fausses portes peintes sur le mur de sa chambre. Quant au contenu même de ces phrases, elles montrent ce qui est à l'œuvre dans la lecture : la mise en demeure des forces élémentaires, leur invocation. L'appel, lancé par la détresse extrême du rêveur, de l'enfant, du lecteur, à des puissances immémoriales : l'eau du ciel. L'arbre. L'eau des océans. Appel. Supplique. Que tout cela vienne et l'envahisse, et le submerge, et le traverse et l'engloutisse, lui et ses livres. Lui et ses livres.

Qu'il s'abîme enfin dans cela qui le dépasse sans le contraindre.

Lui et ses livres.

*

Milieu d'une journée de décembre. Je regarde par la fenêtre la fuite des nuages dans le ciel. Un merle, sur un arbre. Le léger déséquilibre à l'instant de poser ses pattes sur la branche. Il bat des ailes pour rétablir la situation. Voilà. Il s'envole, se pose sur un arbre plus petit, s'envole à nouveau, disparaît. Deux heures de l'après-midi. Les enfants sont dans les écoles. Le ciel est sans qualité. Un terrain vague. Mémoire d'une promenade avec un enfant. Chemin de campagne avec lumière. L'enfant soudain court et crie de joie. Une pente très douce du sol précipite ses pas et son allégresse.

La nuit, très vite. Écouter de la musique. Un octuor de Schubert. La musique, ce qu'elle est : respiration. Marée. Longue caresse d'une main de sable. Non. Porte basse : par la musique Dieu pénètre l'air. Sans bruit. Ne rien faire. Ouvrir des livres, encore. La méditation libère l'espace : on n'est plus seul, séparé dans l'ombre. On est partout où sont les lumières : dans les maisons, dans les mains des enfants, dans le regard des bêtes, dans les lettres d'amour, dans les rosiers, dans les musiques, partout, on est partout, proche de tout et de tous. Proche de vous. Oui. Proche de vous.

II

Vous dire l'étrangeté de mes jours, si commune, si banale. Vous dire la lumière de ces jours d'hiver, si folle, si douce. Cette allure de printemps, soudain. Il semblerait que quelque chose ne puisse jamais finir...

Je ne sais rien de votre vie, des gens qui vous accompagnent, des mots qui vous protègent, des arbres ou des maisons ou de la couleur bleue que vous voyez par vos fenêtres. Je n'imagine rien. Je n'ai rien à vous dire que vous ne sachiez déjà. Si je vous écris c'est pour ne pas cesser d'écrire, jamais, et c'est pur chant, pure célébration du chant, de cette vibration de l'air contre le tympan du cœur.

Si je vous écris, c'est à partir de cette solitude, de ce silence qui mesure notre égalité, notre distance aussi bien. Cette donnée incontournable de la solitude. La mienne. La vôtre. Solitude toujours plus grande, illimitée.

Et je sais que longtemps encore il me faudra tout inventer. Tout : l'air alentour et ce qui est dans l'air, lumière, oiseaux, étoiles ou pluies. Le sol au-dessous et ce qui est dans le sol, les pierres, les eaux, les nuits. Tout inventer pour faire un seul pas. Puis, tout quitter. Tout détruire afin de tout reprendre, en vue d'un second pas. L'idée de repos, de cela je suis sûr, serait mortelle. L'idée d'un nom, qui serait le mien.

Je ne crois pas vous avoir dit que j'ai un travail, que je suis, comme tout un chacun, soumis à ce mensonge obligé d'un travail, à cette considérable perte de temps, de vie. Je crois que le mieux est de n'en pas parler. Écrire, seulement. Ne rien changer. Laisser s'accumuler la colère, le désespoir. Continuer. Laisser la décision, une décision, se faire, se prendre comme d'elle-même, au bout d'un temps indéfini, peut-être proche, peut-être lointain. Je ne peux rien sur ma vie. Surtout pas la mener. Il y a cette phrase, lue hier, dans la lumière atténuée de l'hiver, dans un de ces livres désuets qu'il m'arrive d'ouvrir, au hasard, à n'importe quelle page : *Jetez tous vos soucis en Dieu.*

Je songe à un départ. Un libre cours enfin donné aux astres dans le ciel intérieur. Un départ.

*

Plus assez de poids, plus assez d'ombre pour accomplir une tâche, assurer le suivi d'une lecture ou même simplement pour marcher. Oisiveté. Lumière dansante, allègre, lumière non visible, lumière du dedans. Ne restent plus que des pensées larges, si larges et pourtant précises, pensées enveloppantes, développantes. Livres. Beaucoup de livres dans cette chambre. Beaucoup de vagues. Beaucoup d'arbres. Étant dans cette chambre comme dans une forêt, comme au fond de la mer. Beaucoup de chambres dans cette chambre. Étant partout comme dans une chambre, comme dans une forêt, comme au fond de la mer. Partout ainsi. À ne rien faire. À regarder, tout. Je ne serais fait pour rien. Je serais fait pour cela : tout. L'Amour. Les choses s'avancent vers moi, toutes choses. Par leur silence, elles entrent en moi. D'abord par leur silence. Puis leur lumière s'élabore en moi, discrète, infime. Miraculée. Enfin l'embrasement, l'éclair, le brûlant, le radieux. Ensuite, écrire, seulement ensuite. Voilà. C'est tout. Je ne saurais rien faire d'autre. Seulement cet échange de silence en lumière. L'Amour. Il passe mes lèvres, coupe les lignes de ma main, à l'envers, puis à l'endroit, puis à l'envers, ainsi de suite. Je regarde ce mouvement. J'écris, voyez, je vous écris. Ces lettres. Cette lettre.

Souvent je pense ainsi à cet enfant dont je vous parlais : Lys, Pierre. Ce livre élémentaire, que je n'écris pas. Cet enfant dont nous saurions, vous et moi, qu'il n'est pas là où il est. Souvent je le vois écrire. Des lettres, toujours. Des pages et des pages, vides de toutes choses à voir, seulement emplies de lumière, noires de lumière. Les relisant, plusieurs fois. Corrigeant les fautes d'orthographe. Enfin, les brûlant.

Ces lettres, qui se consument. Ces mots de calme désespoir. Cette paix mouvementée, remuante.

Les pensées vraies, les pensées brûlées, celles qui feraient mourir.

Écrivant, encore. Inchangé dans sa solitude. Approfondissant la blessure de sa solitude, blessure infligée par personne, donnée avant toute chose, donnée, avant toute rencontre, donnée. Écrivant. Touchant d'un cœur surnaturel le sang même de la vie, de toute vie, le plus grand mystère. Touchant du bout des doigts l'humidité d'une pierre affleurant le sol. Venue de quelle profondeur...

*

Et c'est le soir, de nouveau. La lumière de la lampe heurte la blancheur de cette feuille. Il est maintenant très tard. Je vais poursuivre cette lecture entamée l'été dernier, ce livre de Proust que j'emmenais dans mes balades : ses pages sont encore trempées de soleil. Lecture sans fond, sans fin. Lecture immobile. L'histoire n'avance pas. Il n'y a pas d'histoire. Juste une avancée, lente, très lente, vers l'Amour, vers la cruauté de l'Amour, vers sa lumière aveugle, blanche. Lecture hallucinée, dévorante, infatigable. Quelqu'un parle. Quelqu'un qui est alité, dans le voisinage de sa mort. Il écrit ce livre au fur et à mesure de la lecture que j'en fais. Il écrit à partir de l'abandon enfin entier qui est le sien. Jamais si proche des larmes, de la sécheresse de la mort. Jamais si proche de la vie, de la brûlante nudité de la vie. Écrire, avant, devait être impossible, ou bien non avenu, sans conséquence. Les mots fleurissent et poussent dans tous les sens, de toutes espèces. Ils se multiplient et se ramifient comme un feuillage, comme une excroissance incontrôlée, incontrôlable, de feuilles, de fruits. Ils viennent de cet état actuel de détresse, dans cette chambre de malade que je vois emplie de pages, de notes, sur le lit, par terre, partout. Cette remarque, en tête du livre, dans la chronologie : *1906. Après un séjour à Versailles, Proust s'installe 102, boulevard Haussmann. Insomnies de plus en plus pénibles ; en 1910, pour s'isoler de tout bruit, il fera tapisser de liège les murs de sa chambre.* D'abord les mots ne disent pas d'où ils viennent, n'indiquent rien sinon des détails, une foule de détails sur des gens, des jardins, des saisons, des escaliers, des parfums, des pierres, des robes, des berceuses, des bavardages, des rivières. Ils parlent ainsi de tout, sans choisir, dans l'enchantement indifférencié de vivre. Et tout est là, déjà. Ces mots qui s'élèvent n'auraient pas pu venir si tout n'était pas là, déjà. Tout part de cet homme dans la fin de sa vie, dans la fermeture de sa chambre qui ne fait qu'une avec la chambre immatérielle de l'écriture. Tout part de cet homme dans la vieillesse de son corps, de ses forces, dans l'éternité de son amour, de sa vie. C'est de la plus grande pauvreté de l'Amour que viennent le luxe et l'opulence de ces phrases. C'est vers la simplicité et l'Orient de l'Amour que s'avancent ces phrases si riches, si somptueuses, souveraines. Vers celle qui passe, là-bas, devant les baies du grand hôtel, vers la fraîcheur de son corps, l'insolence de son rire, vers l'immensité du désir et de la mer, toute proche. L'histoire, c'est rien, c'est tout, c'est une allée vers la nudité de cette chambre, vers cette blessure à nouveau ouverte, pour les siècles à venir ouverte, vers cette lumière incessante et légère du regard : l'Amour même.

*

Le moins d'éducation possible. Le moins de société possible. L'enfant-Lys. L'enfant-Pierre. Je le vois aussi, par instants, se lasser des livres, se lasser d'écrire, se lasser de tout. Recouvrer par éclairs l'usage d'un instinct mille fois nié, mille fois enseveli. Partir, indéfiniment partir. S'enfonçant dans la forêt, le silence. Des pensées lui viennent, qu'il n'a pas cherchées. Elles arrivent avec la même soudaineté que ces branches qui obstruent le chemin, qu'il faut éloigner avec ses bras tendus et qui giflent le visage si on les relâche trop tôt. Ces pensées-là, il ne peut les maintenir à distance : elles surgissent de cette région du dedans dont il ne sait rien, d'où il devine que proviennent la plupart de ses gestes, et déjà ce désir irrépressible d'une promenade infinie. Ses pensées, ce sont des mots. Des mots peut-être un peu plus lents que les autres, qui s'attardent en lui et ne se décident pas à disparaître dans la formulation d'une idée ou dans le léger bruissement des lèvres. Des mots en vrac, sans lien raisonnable entre eux : Marbre, Dieu, Source, Encre, Aurore... Et puis aussi un mot solitaire, qui erre, au-dessus des autres, ou en dessous, il ne sait pas : Mort. Mourir.

Quelque chose comme une extrême faiblesse.

Quelque chose d'indestructible.

*

Dimanche. Pluie. Il a plu toute la journée. Visages sur lesquels glisse la vie, comme la pluie sur une vitre, sans rien trouver qui la retienne. Dimanches.

Le bruit que font les livres ouverts sur cette table : ils marmonnent. Ils disent quelque chose, à voix basse, monocorde. Inlassablement. Ces textes, des poèmes, affectent la vue de la même façon, exactement, que l'audition, lointaine, irréelle, de chants grégoriens, dans la fraîcheur d'une église visitée, affecte l'ouïe. Au travers de ces deux sens, la lecture comme ces chants inventent quelque chose de notre âme. Il y a beaucoup d'affinités, de connivences, entre la lecture et la prière : dans les deux cas, marmonnement. Dans les deux cas, silencieux commerce avec l'Autre. Dans les deux cas, semblable indéfinie et douce promenade en de clairs vergers, ceux-là même évoqués au douzième siècle par Guerric d'Igny : *Vous vous promenez à travers autant de jardins que vous lisez de livres.* Et puis, surtout, cette ferveur, commune aux deux actes obscurs de lire et de prier. J'aime ce mot. C'est un mot de passe, il préside à l'alliage du corps et de l'âme, à leur broderie entrelacée sur l'étoffe d'une seule langue immatérielle, excessivement douce et brûlante, dont les échos parfois se retrouvent dans le parler des oiseaux et dans l'aurore foudroyée des amants.

Sablier des lectures, où ne s'écoule que l'immobile, qui ne mesure que cette heure avancée dans le cœur, la même, toujours, la seule.

Cette étendue d'invisible sur la page blanche et noire : étendue de silence.

Le pur silence : l'élément naturel de l'âme, autant que l'eau pour le nageur d'au-delà de l'horizon.

*

La vibration-Lys sans cesse se métamorphose, traversant des champs de force innombrables, empruntant tour à tour la peur, le rire, la ruse, la bonté. Ce signe, un jour, indéchiffré. Cette hémorragie imprévisible des forces. Dessous la chaleur déraisonnable du corps, une zone glacée, en friche, vers laquelle Lys s'avance, lentement, régulièrement. Un jour, deux jours, trois jours. Il y a Lys, enfermé dans la fièvre qui délave l'éclat de ses joues, qui rassemble toutes lumières du visage en un seul point de regard. Il y a la mère, assise près de lui, à une distance infinie de lui, enfermée, elle aussi, on ne sait dans quoi, enfermée. Il y a la nudité de ces gestes, l'indigence de ces mots qui vont et viennent de l'un à l'autre, qui lancent des passerelles bien trop fragiles, toujours effondrées. La quatrième nuit, il s'éloigne de la vie. Le visage pâlit. Le souffle décroît, se stabilise très bas.

Il marche le long d'un canal, sur un de ces sentiers où passaient autrefois les chevaux tirant les péniches. Il regarde en bas. Le niveau de l'eau baisse à une vitesse folle, découvrant une terre noire, lourde. L'envie de descendre, de poursuivre la promenade en bas. Il va bientôt céder à ce désir quand l'eau revient, violente, remonte, brise la fascination. Une écluse a dû s'ouvrir plus avant. L'enfant s'éveille. Il est en sueur. Il regarde autour de lui. La lumière est étrange. Ce n'est pas celle du jour, pas celle de la nuit.

La mère est absente.

Il se lève avec peine, il sort de cette chambre, il sort de ces lettres.

*

Quelqu'un écrit. Quelqu'un écrit des lettres. Penché sur une table de mauvais bois, penché sur un songe trop précis, quelqu'un écrit, que l'on voit de dos. Par la fenêtre entre la lumière du jour, celle de n'importe quel jour. Elle brûle les yeux. Elle brûle la première page du livre, lentement mange le livre, les mots. Brûlure sans flamme et sans clarté, brûlure inutile. À la fin du livre ne resterait plus que cette lumière, que cette plaie de la lumière, franche, nette. L'histoire serait finie, voyez, elle aurait échoué à faire venir la nuit, le sommeil. Elle resterait inachevée, définitivement inachevée avec devant elle cette étendue de lumière, cette éternité du jour, inentamée, intacte.

*

La vie comme elle va, oisive, éternelle. Des heures d'oisiveté pour une seconde d'or pur, d'écriture. La durée se précipite dans l'éclair de l'encre. Accepter cette perte de temps, sans jamais prétendre la modifier, la remplir.

L'inachevé, l'incomplétude seraient essentiels à toute perfection.

Infinie conversation avec un enfant : plus qu'une affaire privée, cela concerne — immédiatement, nerveusement — le sens du monde et de l'éternité. L'Amour en personne dans le visage d'un enfant semblable à des milliers d'autres : unique.

Inventer un conte. Une histoire. Elle ne serait pas écrite pour un enfant, pas non plus pour un adulte. Écrite pour personne. L'histoire de personne. Cela commencerait n'importe où, n'importe comment. Avec ce mot : Dieu. Le reste suivrait, tout seul :

Dieu, c'est le nom de quelqu'un qui a des milliers de noms. Il s'appelle *silence, aurore, personne, lilas,* et des tas d'autres noms, mais ce n'est pas possible de les dire tous, une vie entière n'y suffirait pas et c'est pour aller plus vite qu'on a inventé un nom comme celui-là, Dieu, un nom pour dire tous les noms, un nom pour dire quelqu'un qui est partout, sauf dans les églises, les mairies, les écoles et tout ce qui ressemble, de près ou de loin, à une maison. Car Dieu est dehors, tout le temps, par n'importe quel temps, même l'hiver, et il s'endort dans la neige et la neige pour lui se fait douce, elle ne lui donne que sa blancheur avec quelques étoiles piquées dessus, elle garde pour elle la brûlure du froid. Dieu n'a pas de maison, il n'en a pas besoin et d'ailleurs lorsqu'il voit une maison, il ouvre les portes, déchire les murs, brûle les fenêtres et c'est tout qui entre avec lui, le jour, la nuit, le rouge, le noir, tout et dans n'importe quel ordre, et alors, et alors seulement, les maisons deviennent supportables, alors seulement on peut les habiter, puisqu'il y a tout dedans, le soleil, la lune, la vie très folle, la douceur très grande de la folie, les yeux pervenche de la folie. Et Dieu repart ailleurs, toujours ailleurs : à force de traîner les chemins, de s'endormir partout, dans les sources, dans les fougères, dans le nid des mésanges ou dans les yeux des tout-petits, Dieu a une drôle d'allure, vraiment. Lorsqu'il n'ouvre pas toutes grandes les portes, Dieu ne fait rien. Ce serait là son métier : ne rien faire. C'est un métier très difficile, il y a très peu de gens qui sauraient bien le faire, qui sauraient ne rien faire. Dieu, lui, fait cela très bien. De temps en temps, pour se reposer, il s'arrête de ne rien faire : alors il fait des bouquets ; il cueille toutes les lumières du monde, même celles des orages et des encriers, il en fait des bouquets mais ne sait à qui les offrir. Ou bien il met un coquillage tout contre son oreille et il écoute des musiques, toutes les musiques du monde, longtemps il écoute et c'est comme un flocon dedans son cœur, un tourment d'écume, le premier âge de la mer, l'immensité de la mer dedans son cœur et Dieu se met à rire et Dieu se met à pleurer, parce que rire ou pleurer, pour Dieu c'est pareil, parce que Dieu est un peu fou, un peu bizarre. Et si on lui demande ce qu'il a, il dit qu'il ne sait pas, qu'il ne sait rien, qu'il a tout oublié le long des chemins et qu'il a perdu la tête, perdu son ombre, qu'il ne sait plus son nom. Et puis il rit, et puis il pleure, et il s'en va, et il s'en vient, et c'est le jour, puis c'est la nuit, et puis voilà, c'est toujours comme ça, toujours, chaque jour.

*

Dérives, infinies dérives : ces promenades. Ces lectures. Ces lettres. Le travail. Une absence.

Je n'écris pas pour maintenir ni pour sauver l'heure qui passe. Je vous écris son passage en moi et ces éclats de toute beauté qui m'en restent, ces brins d'éternité dedans la mort effondrée, entre les pierres de fatigue.

J'écoute des musiques. Beaucoup de musiques. Mozart. Schubert. Le chat-Mozart : il se déplace sans heurts, par glissements, par frôlements, sans froisser les feuillages de l'air, sans renverser le moindre silence. Il tourne doucement autour d'un oiseau-lumière, sans jamais le quitter des yeux, sans jamais conclure le jeu par une prise, par un rapt.

Tout est donné, offert. Chaque degré de l'abîme est compté. Pure contemplation, pure douleur.

Je regarde le beau temps par la fenêtre. Cette candeur du soleil.

Je pense à vous, dont je ne sais rien.

III

Je regarde le ciel d'aujourd'hui : hâtif, confus. J'y trouve de quoi vous écrire, de quoi vous parler du temps, de ce désert des lumières usées par trop de pluies, trop d'hivers, de ces éclaircies brutales et du désespoir qui en procède, qui nécessairement en procède.

C'est à présent une saison nouvelle. Une autre économie du vent, de l'air, des bruits colportés du plus lointain. Des chants d'oiseaux invisibles. Des cris d'enfants, parfois, au bas des maisons, dans les forêts, vous savez, comme ceux que l'on entend sur les plages en été : il n'est que les enfants pour ainsi confondre, avec tant de justesse, leurs jeux de voix, de rires, avec la rumeur des éléments, avec le souffle sourd des vagues. Sans doute avez-vous déjà remarqué cela, et que les voix des adultes, elles, ne rejoignent rien, n'épousent rien. Elles font écran, coupent, empêchent, gênent.

Les lumières s'attardent. La noirceur des arbres quand la nuit les enserre est moins grande, moins dure. De grandes choses dorment en nous, toujours, d'un sommeil qu'agite un peu plus la longueur accrue des jours. Quelque chose manque, toujours. À tout ce que nous pouvons faire et dire et vivre, quelque chose manque, toujours. Cette conscience-là, tôt venue, irréductible. On peut vouloir passer outre, s'arranger. Ce qui n'est qu'un seul et inépuisable jour on peut l'oublier, provisoirement l'oublier, on peut l'amoindrir en jours, en semaines, en mois. S'occuper. Parler et croire que l'on parle. Faire des choses et croire que l'on fait quelque chose. Je préfère pour ma part ne rien faire. Je préfère en rester à ce premier âge du monde, de la nuit, du froid. De cette épaisseur de la nuit, de l'ombre, du gel, je n'ai rien à dire, je ne pense rien. En penser quelque chose serait déjà s'en éloigner. C'est à l'intérieur de cette nuit, de cette non lumière de la vie que je vous écris, mais ce n'est pas d'elle que je vous parle, c'est de tout le reste, de tout ce qui en elle s'abîme, les gestes, les choses, les visages, les mots. Tout s'en va. Tout lentement s'approche puis lentement s'éloigne. Tout glisse doucement — les voix, les regards — tout glisse doucement sur le côté, sans heurts, comme indépendamment de tout vouloir, comme un glissement de terrain. Et tout se poursuit aussi bien. Les mêmes choses, toujours. Rien n'est empêché. Apparences du travail, apparences des conversations, apparences des mouvements divers. Vie apparente. Je suppose que c'est là chose banale. Je suppose qu'il est possible de vivre ainsi longtemps, sur un long temps. Dans cette mort merveilleuse de l'indifférence. Dans cette horrible aptitude à vivre en l'absence de tout, dans la plus silencieuse des absences. Sans âge. Sans plus vieillir, sans plus souffrir de rien. Sans doute est-ce là cette vie, que l'on dit ordinaire. On peut y mourir. On sait qu'on peut mourir. On sait aussi que mourir est impossible. On sait tout cela et bien d'autres choses encore, toutes aussi inutiles, toutes aussi encombrantes. Parfois aussi la grâce d'une blessure vient congédier cette somme fabuleuse de savoirs sur tout, ce fatras.

La fraîcheur mortelle d'un désespoir.

On ne sait plus rien.

On a perdu un instant cette ignorance apprise, cette indigence mentale.

Le désespoir allège le regard, brûle le sang, purifie. Il suffit dès lors de regarder. Sans choisir, regarder. Où que se portent les yeux c'est toujours la même lumière, noire, celle du plein jour. On peut alors écrire. Par exemple écrire. Sans souci d'une lecture. Écrire quelque chose. Cela :

Il arrive qu'une pierre vacille en toi, puis d'autres, voisines. Un pan de mur, devant lequel tu ne passais plus guère, cède bientôt sous la poussée lointaine du vent. Tu regardes les pierres dispersées : disjointes, avec une lenteur passionnée, par les herbes sèches de l'oubli, creusées par les eaux grises des fatigues, elles ne pouvaient très longtemps tenir. Il a suffi d'un souffle pour les renvoyer à leur diversité première. Tu écoutes les ultimes échos de l'éboulement. Tu entends ce qu'ils disent : quelqu'un est parti de toi, qui n'y était jamais entré. Peu à peu s'évanouit la fascination de ces ruines, s'annule leur dernier pouvoir de convoquer les regrets. Tu t'éloignes, éprouvant l'informulable d'une lumière qui te sert à mesurer l'immensité négligeable de tes pertes.

Ce texte, oui, on peut l'écrire. Dans l'amour naissant, dans l'amour mort, le même, écrire. Dans cette confusion des temps, des genres, écrire. Écrivant. Pour ne plus entendre, pour surtout ne plus entendre. Écrivant pour voir, pour y voir. Ce texte on peut le donner à voir, comme je fais ici. On peut aussi ne pas le montrer ou même ne pas l'écrire. Simplement regarder. Les fleurs sur cette table, accablées de chaleur. La main à plat sur la page. Ou rien. C'est cela. Rien.

Les grands passages de lumières dans le ciel en friche.

*

Une nuit et un jour sont passés. Un intervalle dans cette lettre. Une pierre blanche entre deux chemins de l'encre. Je pourrais aussi vous parler d'une petite fille que je garde parfois, avec laquelle je passe des jours entiers. Hélène est son nom. Vous dire le miracle des saisons sur son visage, le désordre radieux amené par le vent dans son regard. Ses gestes lents, toujours pleins d'une gravité attentive. Ce déchirement délicat des premières roses entre ses mains, leur lumière qui s'accentue quand elle les froisse, leur douceur brûlée entre ses doigts. Elle a deux ans, elle a mille ans, elle a un de ces âges qu'en songe je prêtais à Lys, Pierre. Peut-être la pensée de ce livre m'est-elle venue de là, peut-être. J'ignore à vrai dire tout de ce que j'écris, de ce que je rêve, pourquoi j'en rêve, pourquoi je l'écris, comment. Je ne sais rien de ce que je fais. Je le fais, c'est tout. Je rêve que je le fais. Je cherche quelque chose. Je ne sais quels chemins sont les plus favorables. Je les emprunte tous, tour à tour ou simultanément. Il y a ces lettres que je vous écris. Je m'adresse en vous au plus indifférencié de vous, à ce plus faible dénominateur commun, la nuit, la table rase de la nuit.

Je vous parle à partir de ce don d'inexistence également réparti entre chacun de nous. Cet héritage de la plus pauvre folie. Cette inaliénable égalité devant le vide, l'horreur du vide, la souveraineté du vide. Que nous la reniions ou non, peu importe. C'est là que nous sommes. C'est là qu'adviennent les rencontres.

Il y a ces promenades, ces regards incessants sur tout, arrêtés par tout, cette éternité rompue des promenades. Il y a ces livres dans lesquels je m'aventure, jusqu'à y trouver les mots justes, les mots clairs et noirs, ceux qui s'imposent avec la soudaineté d'un orage, d'une accalmie, n'importe où, en milieu de texte, au bas d'une page. Je les recopie dans des carnets de toutes les couleurs, que je laisse sur cette table. Je les oublie. Je n'y pense plus. J'ai relu pour vous quelques pages de la *Délie*, de Maurice Scève, pour vous en parler. J'ai rencontré ceci, ces mots qu'une seule lecture n'épuise pas, qui me réjouissent, ces mots que je lis et relis, que je mâche, comme dans une promenade on porte quelques herbes à ses lèvres, entre ses dents :

Le Corps travaille à forces énervées,
Se résolvant l'Esprit en autre vie.

Cristaux immatériels, précipités d'âme et de sel qui peuvent emprunter aussi d'autres conducteurs que les livres : un silence peut les induire, un geste entrevu, l'ombre sur un mur, l'imprévisible d'une douleur. Je vous parle ici de ces faux pas de l'esprit, de cette interruption momentanée des processus mentaux qui nous font ouvrir les portes, dire les mots attendus, les mots sourds. Je vous parle de cette trêve inespérée dans l'infirmité des savoirs qui nous rendent aptes à vivre, d'une vie nulle, profondément nulle. Je vous parle de ces foudres blanches, nerveuses, qui nous dévoilent une seconde le visage qui est le nôtre, celui qui monte de la plus noire solitude jusqu'au feu dévorant d'une rencontre. Il n'est, pour ces états, aucune terre, aucune heure privilégiée. Si un livre, rarement, peut les amener, une absence le peut tout autant, une étoile, l'effroi du jour qui vient ou déjà les oripeaux de lumière entre les branches des arbres. Au-delà, en deçà de toute littérature. Quelle que soit la forme de la rencontre, quel que soit le visage de l'ange — pierre, chair, encre, fougère — il s'agit toujours de la même bonne nouvelle, celle de notre délivrance, celle de la délivrance en nous des forces captives, des sources obscures. Ce livre que j'ai refermé hier, de Maurice Scève, n'a pas d'autre matière, noire, crayeuse, que celle-ci, que celle tout entière désignée par ces premiers mots :

Grand fut le coup, qui sans tranchante lame
Fait, que vivant le Corps, l'Esprit desvie...

*

Écrire, sur des feuilles blanches ou grises, sur des écorces, sur des pierres. Sur les pierres de taille de la nuit. Je pense à ces animaux fossiles qui sont dedans la terre, à ces cerfs fossiles que parfois l'on exhume, à cette empreinte minutieuse de leurs os dans les pierres. Pris dans le mouvement où la mort les a chevauchés. Ils courent depuis des siècles. Depuis des siècles. Immobiles. Ce serait là une assez juste image de l'écriture.

Il existe près d'ici un étang. La mort qui souvent se rend dans ses provinces vient lui rendre visite, en hiver, au milieu de l'été : je l'ai vu gelé ; j'ai marché dessus, jusqu'en son cœur. Écoutant les craquements lointains, discontinus, de la glace épaisse sous mes pas. Je l'ai vu également à sec, vidé de son eau, de ses forces. J'y vais souvent. Je regarde les lumières qui fuient dans le ciel, qui planent sur ces eaux. Des lumières par dizaines, naïves, précieuses, folles, argentées. Un petit infini de lumière : si grand soit-il, il n'égale pas l'éclat de ce noyau solaire enclos dans l'encre lourde, et moins encore approche-t-il de l'intensité — incomparable — du feu qui veine les paupières closes d'un être aimé. Il y a plus de clarté dans les livres que dans le ciel. Il y a plus de clarté dans le sommeil des amants que dans les livres. Pouvoir supérieur de l'Amour, pouvoir de la vie nue, insaisissable, muette, semblable à ces enfants fous que l'on administre, que l'on soigne, que l'on gère sans jamais parvenir à réduire l'écart qu'ils ont mis entre eux et nous, sans jamais pouvoir abolir cette royauté opaque, aimantée, où un jour ils s'en sont allés.

Cette distance entre eux et nous, c'est aussi celle que nous avons pris l'habitude de voir entre nous et notre vie. Il ne faut pas se hâter de la franchir. Un détour est nécessaire. Si la vie est immédiate et verte au bord des étangs, pour la rejoindre, il nous faut d'abord rejoindre ce qui en nous est comme de l'eau, comme de l'air, comme du ciel.

Se retirer.

Se taire : l'avancée en solitude, loin de dessiner une clôture, ouvre la seule et durable et réelle voie d'accès aux autres, à cette altérité qui est en nous et qui est dans les autres comme l'ombre portée d'un astre, solaire, bienveillant.

C'est dans cet écart de la solitude que fleurissent d'étranges mots, secourables, bons, lentement venus, avec la lenteur de ces lys frêles, cassants, qui restent longtemps avant de s'ouvrir dans un silence d'eau fraîche. C'est dans cet écart que l'amour se joue, qui n'est pas un jeu, qui est aussi un jeu, un tournoi de lumières, une radicalisation imprévisible, imprévue, des lumières, dans le temps et l'espace qui séparent chacun de nous d'avec toute sa mort.

Regardez ce livre. La lumière qu'il fait entre vos mains. Je parle ici d'une lumière matérielle, évidente : celle des forêts, des arbres que l'on abat pour obtenir ce papier, des ondées et des éclaircies qui font croître ces arbres, des huiles et des pigments qui donnent à l'encre une âme noire, du jour qui entre par la fenêtre et qui surprend parfois, plus que la nuit.

Quant aux mots écrits sur ces pages : quelques herbes, fraîchement coupées dans le vert de la mémoire.

Juste ça.

Lettres d'or

Le Roi a fait battre tambour
Pour voir toutes ces dames
Et la première qu'il a vue
Lui a ravi son âme

Il y a ces deux choses en nous : l'amour et la solitude. Elles sont entre elles comme deux chambres reliées par une porte étroite. Écrivant, on va de l'une à l'autre, incessamment. On ramasse ce qui est sous le ciel, ce qui brûle dans le sang. On en fait un bouquet de fleurs géantes, semblables à celles que découpent les enfants dans du papier peint. On l'offre à une jeune femme. Elle prend ce qu'on lui donne. Les lettres sont vraies dans le temps de les lire. Après, elles s'effacent, elles se fanent. Elle les jette, elle en demande encore. D'autres lettres, encore. D'autres phrases illisibles, comme celle-ci : je vous aime ; j'aime cet amour dont je vous aime, je l'aime jusqu'à la folie, jusqu'à la bêtise. Ainsi de suite. Des choses comme ça, on écrit. On ne sait pas bien ce que l'on fait. Il y a ce que l'on connaît, qui est étroit. Il y a ce que l'on sent, qui est infini. Ce que l'on connaît flotte au-dessus de ce que l'on sent, comme une petite bête morte dessus les eaux profondes. Écrivant, on va contre toutes connaissances. Ce qu'on ignore, on l'appelle, on le nomme. On voit l'amour et la solitude : une seule chambre à vrai dire, un seul mot. De la solitude, nous ne viendrons pas plus à bout que de notre mort. C'est ce qui fait que l'on aime et que le temps se passe ainsi, dans l'attente lumineuse de ceux que l'on aime : car même quand ils sont là, on les espère encore. On touche leurs épaules, on lit dans leurs yeux, et la solitude n'est pas levée pour autant. Elle gagne en beauté, elle gagne en force, mais elle est toujours là. Ce qui a commencé avec nous — avec l'étoile de notre naissance — n'en finira jamais de nous isoler dans l'espace : chacun séparé de tous les autres. Chacun enclos dans son désir, dans son attente. Nous sommes seuls dans le jour. Nous avons besoin de quelqu'un qui nous conduise dans la pleine nuit du jour, comme on mène un enfant jusqu'aux rives étincelantes du sommeil. Nous sommes seuls dans le jour, mais nous serions incapables de découvrir cette solitude si quelqu'un ne nous en faisait l'offrande amoureuse. La révélant, en pensant l'abolir. L'aggravant, en croyant la combler. Cette solitude est le plus beau présent que l'on puisse nous faire. Elle brûle dans le jour. Elle s'illumine de nos absences.

On continue les lettres. On regarde celle qui les reçoit. On voit cette jeune femme, comme elle est : inaccessible à elle-même comme à la passion qu'on lui voue. Déserte.

On écrit encore, on poursuit la lutte avec l'ange, l'aubade à la reine.

I

Il y a la lumière du ciel, abondante. Claire le jour, noire la nuit. D'un noir un peu vert, un peu acide à cause des étoiles qui sont là. Elle bouleverse les jardins et fait frémir les herbes. Et puis il y a la lumière des lampes : elle sépare, quand l'autre réunit. Elle détache un seul bloc, fait de la table, de la main droite et de la feuille blanche. Elle me renvoie au vain travail d'écrire.

Les mots sur la page détachent une femme de vous. Elle entre dans la chambre, bientôt suivie de ses sœurs. Aucune ne vous ressemble, toutes portent votre nom. Il y a celle qu'une fatigue enchante. Les mains ouvertes sur un livre glacé, elle est dans le loin, elle est dans le proche. Elle est dans l'épuisement des songes, comme quelqu'un qui hésite, juste avant de perdre, juste avant de trouver. Il y a celle qui possède plusieurs vies. Elle les regarde dans la lumière, s'inquiétant de celle qui irait le mieux à son teint, au rouge de son sang. Il y a l'inconsolable. Un chagrin la rend à une solitude puissante. Elle est dans les ténèbres de son cœur, comme une petite fille au milieu des débris de ses jouets. Et puis la toute vieille, longtemps assise dans les heures immobiles de l'été. Son visage clair-obscur tourné vers la fenêtre, elle contemple les chats, les arbres et les fées. Elle voit les choses, et dieu qui est dans les choses comme un trésor d'enfant caché au fond d'une boîte. Et celle qui désire qu'on l'oublie. Elle traverse les images, les saisons et les livres. Elle marche longtemps dans le noir, puis elle s'endort dans la neige où personne ne la touche. Celle-ci encore, dont le cœur est une rose. Pour bien la voir, il faut voir le tout du ciel où elle baigne, cette douce pression de l'infini sur elle, qui fait qu'elle s'ouvre au jour, en même temps qu'à sa mort. Et celle qui est toute fraîche, toute jeune. Elle est devant l'amour comme l'écolier devant la page à lire, quand il ne sait pas lire : elle invente. Elle s'apprend à elle-même la jouissance, l'attente et l'ennui, tout ce qui naît d'un amour éternel, à l'instant d'apparaître. Une crainte l'accompagne partout où elle va, comme une plus petite sœur qu'elle tiendrait par la main.

Bien d'autres encore, qui viennent me rendre visite. Chacune séparée, dessous la couleur bleue. Chacune ignorant toutes les autres, comme ces fruits dans l'assiette du peintre, avec chacun sa teinte, son poids, son goût.

Elles m'offrent le secret d'un monde dont vous êtes le centre, abandonnant sur la page, avant de partir, la fleur des champs piquée dans leurs cheveux. Une fleur très simple, sans éclat. Légère sous la lumière des lampes.

II

Il y a un temps où ce n'est plus le jour, et ce n'est pas encore la nuit. Il y a bien du bleu dans le ciel, mais c'est une couleur pour mémoire, une couleur pour mourir. On voit ce qui reste de bleu, et on n'y croit pas.

La dernière lumière s'en va. Elle a fini son travail qui était d'éclairer les yeux et d'orienter les pensées, et maintenant elle s'en va. Elle glisse du ciel sur les arbres, puis des arbres sur la terre. Quand elle touche le sol, elle est toute noire et froide. On regarde. Ce n'est qu'à cette heure-là que l'on peut commencer à regarder les choses, ou sa vie : c'est qu'il nous faut un peu d'obscur pour bien voir, étant nous-mêmes composés de clair et de sombre.

Dehors, il y a les étoiles. Elles sont comme des clous enfoncés dans le ciel, de l'autre côté, du côté où l'on ne sait pas. Elles brillent, dépassant légèrement par leur pointe. Un vent noir passe sur les chemins, dessous les pierres, entre les haies. Il traverse toutes choses comme une parole d'eau pure. Il fait comme un murmure disant que tout va bien, que l'on peut sans regret baisser les paupières, et entrer lentement dans l'ondée d'un sommeil. Dedans, il y a le silence de la maison. Le livre des heures, ouvert à la page du repas. On coupe le pain blanc. On verse une poignée de couleurs dans une eau frémissante.

Avec le soir, descendent les grands sentiments. Ils entrent dans l'âme comme les loups dans les villes. C'est la faim que l'on a, qui vous tient tout le long du jour et qui vous serre un peu plus dans ces heures-là — la faim de beauté, de calme et de joie. Ce sont les anges qui nous gardent, qui sont des gens comme nous, sauf que rien ne les trouble : si purs que personne ne les voit. C'est un mélange de choses qu'on ne sait pas bien dire, peut-être parce que personne ne sait bien les entendre. On se tient là, dans la fraîcheur d'une pensée sans objet, comme une jeune femme appuyant ses épaules sur la porte grande ouverte, attendant la venue de l'ami, mais il ne vient pas et elle reste quand même, et c'est un autre jour, puis un autre encore, et ce sont tous les jours de sa vie qui passent devant elle, toujours là, confiante, le dos contre la grande porte de bois. Puis c'est sa mort qui vient et la frôle sans la prendre, n'osant réclamer son dû, ajoutant simplement son silence à tout ce silence qui était avant elle. Telles sont les pensées qui nous viennent dans le soir. Ce sont les pensées les plus claires que nous aurons jamais, étant sans phrases, étant sans bruit. Elles n'appellent ni ne demandent, se tenant sur les marches du sang comme une jeune fiancée sur les pierres du seuil, avec beaucoup de vies et de morts mises auprès d'elle, qu'elle n'aura pas goûtées, à peine touchées du bout des doigts.

C'est une heure dans les fins de l'été. C'est une heure éternelle dans la vie de chaque jour. C'est l'heure où vous étiez nue dans cette chambre, et à présent vous n'êtes plus là et je vous vois encore, et j'ose à peine vous regarder, car toutes les lumières se sont retirées en vous et leur blancheur m'éblouit.

III

Un ciel pâle, vidé de son bleu. L'orage rassemble une à une les lumières qui sont dans le jour, les parfums qui sont sous la terre. D'un seul coup, il jette tout cela dans le sang, en grondant un peu, comme un qui taperait du poing sur la table, pour bien se faire entendre.

On est dans la douceur d'une maison. La pluie amène une deuxième maison dans laquelle on entre, plus claire que la première, plus sûre aussi, celle de l'enfance. On regarde la pluie sur l'enfance. On regarde ce mélange des saisons : un peu d'automne sur l'été, comme une tache sur une pomme.

Il y a un livre sur la table. Dedans, se trouvent les lumières qui ne sont plus dans le ciel. C'est le livre d'un poète. Les poètes sont des gens qui ne savent rien faire de leurs mains, sinon des gâteaux de silence, qui leur prennent tout leur temps et qu'ils oublient ensuite, sur une assiette de faïence, au bord de la fenêtre. Les enfants viennent y goûter, puis les bêtes, enfin les morts qui nous entourent et ne tolèrent pas d'autre nourriture que ces quelques miettes, invisibles. On prend ce livre, on le feuillette. Et puis comment vous dire. Cela vient très lentement. C'est comme une chose fragile qui demanderait à naître. Elle vient du dedans. Elle monte lentement dans le jour. On ne la devine qu'avec l'orage, qu'avec ce nouveau ciel qui a noyé l'ancien, qu'avec ce ciel tout noir, sans bonté. Il y a cette pensée encombrée, prise à mi-chemin : alors on va à sa rencontre. On va dans le fond de sa vie, comme un enfant réveillé dans la candeur de sa nuit : un ver luisant dans sa main, il descend à la chambre des parents et c'est pour n'y trouver personne, que le désordre de son âme, affolée, comme un oiseau de nuit entré dans la maison et se cognant aux meubles, de plus en plus aveuglé, de plus en plus affaibli entre les quatre murs noirs. Comment vous dire : on lit des livres, on écrit des lettres, on fait des choses. On attend. On est dans un sommeil convalescent, plat, avec — de loin en loin — des simulacres de réveil, des lueurs soudaines, des échardes de lumière plantées dans les yeux noirs : la beauté de quelques mots singulièrement accolés l'un à l'autre, le soleil sombre d'un corps de femme, l'ampleur d'un vin de fête. Toutes choses qui agitent le sommeil où nous sommes, nous persuadant d'être en état de veille, quand nous ne faisons que changer de rêve. Toutes choses qui traversent nos jours, sans apaiser la douleur qui fleurit là, tout au fond de nos vies, dans la grande maison nocturne avec l'enfant abandonné.

C'est un jour dans la vie. On lit un poète. On regarde les enfants, les bêtes et les morts qui s'approchent, et la pluie dans leurs yeux, et le vide dans nos âmes. Et puis c'est l'éclaircie, et le livre que l'on ferme.

On reste assis, un peu. C'est plusieurs vies dans le même jour.

IV

Un ciel comme un jardin, avec des lumières folles, sauvages. Elles croissent, couvrant tout l'espace, comme une vigne vierge sur un vieux mur. Le vent les arrache, elles reviennent. Un ciel sans jardinier.

Vous partez, vous revenez. Dans votre absence, j'avale une quantité considérable de paysages, d'émotions et de lumières. Je regarde la petite maison grise, enchâssée dans le vert des sapins, là-bas. Lointaine comme le repos. Lointaine comme l'idée qu'on a de soi, dans la fatigue ou la jouissance. Le paysage fait comme une miniature dorée par la lumière d'été, et je peux sans effort tenir cette maison dans le creux de mes mains, dans la paume d'un songe. Elle a deux volets rouges, qui sont fermés depuis des mois. Ce rouge me fait souvenir d'une robe que vous portez, durant la belle saison : ample, un peu ouverte sur l'épaule et vous allant très bien, comme tout ce qui vous entoure sans vous asservir. Ce souvenir vous redonne tous les droits sur mes jours, sur mes nuits. Vous êtes là, et vous n'êtes pas là. Votre façon d'y être est de n'y être pas. Je regarde le fouillis des lumières, l'erreur des sentiments, la profondeur des terres. Chaque heure porte un nom, qui est le vôtre et d'où lui vient tout son éclat. Chaque seconde fait comme un fruit, pesant et lisse dans une corbeille d'air : je le contemple. Je le tourne entre mes mains puis je le mange, prenant ainsi connaissance de sa douceur ou de son amertume.

Vous revenez, vous partez. Dans votre absence, une main passe devant mes yeux, comme pour les clore. Une main de chair et de feu. Elle passe lentement, elle bouge à peine. Elle frôle mes paupières, obscurcissant momentanément le jour : là où je regarde, il n'y a plus ni ciel, ni terre. Là où je regarde, il n'y a rien. Les couples, par exemple, ceux qu'on rencontre. Cette accoutumance qu'ils exposent, l'un de l'autre. Ce savoir pétrifié, gelé. Plus loin, on retrouverait l'amour qui n'est plus. Mais plus loin n'est pas pensable. On les regarde et on ne voit rien, car dans ce qu'on voit, il n'y a plus l'invisible. Pareil pour les travaux, le sommeil, les saisons, pareil pour tout. Ce n'est qu'avec vous que je vois quelque chose. C'est vous seule que je contemple : vous inspirez aux terres leurs plus fines nuances, à dieu sa plus vive lumière.

L'amour atteint sa plénitude dans cette évidence d'une défaite : tout va vers la personne aimée, et les rivières du sang se détournent de leur cours, pour se perdre dedans l'image immense. On est enlevé de soi. Ce qu'on sait devient faux, ce qu'on voit nous ignore. On est entré dans le domaine de pure attente, comme dans un espace plus grand que soi, où l'amour infiniment dépasse l'amour.

On voit sa vie au loin, comme une maison déserte avec des volets rouges, fermés depuis des siècles.

V

Il y a parfois des journées blanches. Chaque heure fait comme une chambre où l'on pénètre sans étonnement. On y déplace des choses, sans les connaître. On traverse des visages, sans en être changé. On entre dans une nouvelle pièce, semblable à la première. On marche longtemps. Une fatigue assombrit les miroirs. On va dans un sommeil où tout s'éteint.

Il y a ainsi deux journées dans une seule : celle que l'on vit et qui est fausse, celle qui est vraie et que l'on ne vit pas. On est sur un chemin. On longe une haie, et derrière c'est le même chemin, tout pareil mais désencombré, comme un sillon de lumière tracé d'un seul coup. Ce n'est pas qu'on soit perdu : par habitude on va tout droit aussi, jusqu'au soir. Ce sont les choses qui nous ont perdu, étant sur l'autre chemin où nous ne sommes pas.

De telles journées sont des oiseaux blancs que les hommes n'effraient plus et qui se posent près d'eux, sans rien leur demander. Ils se nourrissent des rêves que nous ne rêvons plus, des corps que nous n'enlaçons pas. Vers le soir ils s'envolent, laissant une pensée sous les choses, perdant une plume. On la ramasse, on la glisse entre deux pages d'un livre. Il est temps d'aller dormir. On n'a rien fait aujourd'hui, et ce n'est pas grave, mais surtout, on n'a rien recueilli. On n'a rien su tenir contre soi, que cette pensée faible, que cette plume claire. Alors, parce qu'on aime écrire et que c'est comme une seconde nature — comme une nature plus vraie que l'autre — on prend cette pensée, on la trempe dans une petite bouteille d'encre, marquée « noir intense ». On écrit une lettre pure, indemne de toute tristesse. C'est une lettre d'amour, une lettre de créance. Elle n'abîme pas le silence. Elle l'entoure de boucles et de déliés. Elle vient de loin. Elle va vers vous, et celui qui l'apporte s'avance dans le monde comme dans une suite princière de chambres vides. Elle vient vous apprendre que vous êtes aimée. Elle vous dit que l'on vous aime avec maladresse, parce que l'amour délivre en nous l'enfant qui fait ses premiers pas, trébuchant dans sa force neuve. Elle vous dit qu'au-delà de vous, c'est une solitude sans défaut — car sans visage — qui est aimée, et que l'on vous sait gré de n'en pas être jalouse. Elle vous chante un amour sans ombrages : il arrive avec le vent. Il vient s'atteindre lui-même dans le silence qui est en nous. Il dort à même nos songes, et plus rien ne sait le dire. C'est un ange enivré d'eau de source, c'est une lettre étourdie de lumière. C'est la fin d'une journée, et le ciel qui revient. C'est une voix dans le sang, qui dit que tout est grâce.

Qu'est-ce que l'amour ? C'est ce que personne ne sait. Mais qu'est-ce que personne ? C'est chacun de nous dans le secret de sa vie engloutie. L'amour s'adresse en nous au plus intime, à ce qui, dans le plus intime de nous, est sans visage, sans forme et sans nom : personne.

VI

Une fatigue qui atteint les lumières, avant de me gagner. J'écris des phrases longues, lisses, enveloppantes. Dans la douceur d'une langue, je cherche un peu de cette clarté qui consume les amants, dans leur chambre. C'est même chose que d'aimer ou d'écrire. C'est toujours se soumettre à la claire nudité d'un silence. C'est toujours s'effacer.

Je ne saurais vous dire la jouissance que me donne votre corps, lorsque vous me l'abandonnez. Aucun langage ne la recueille. Aucun regard ne la contient. Les amants éprouvent, sans le comprendre, ce qu'est l'éternité : elle se confond avec la faiblesse qui précipite leur souffle. Elle obscurcit leur sang et fait la nuit autour d'eux, comme il arrive dans une souffrance, lorsqu'une flamme élance les chairs les plus tendres. La jouissance engendre un savoir sans équivalence sur l'éternel : elle révèle en nous bien trop d'enfance et de douceur pour que mourir, jamais, en vienne à bout. Les mains sur la peau touchent l'âme à vif. Elles en sentent la palpitation. Elles en devinent le trouble. Mais rien, non, rien n'égale en volupté la contemplation de votre visage : un fin mélange de plaisir et de détresse recouvre ses traits, comme si — pendant quelques instants — vous n'étiez plus personne. Comme si vous ne possédiez plus rien, ayant par avance tout perdu : votre sang, votre nom, et jusqu'au souvenir de cette perte. En vous regardant, j'apprends ce que c'est qu'un visage, et qu'il s'ouvre dans la grâce d'une offrande. En vous regardant, je me souviens du monde, et combien il est sombre, monotone et sans air. Le visage amoureux est visage des hauteurs. Il est exposé aux poussières des saisons, aux passages des étoiles. Il est rendu à sa substance première, celle du vent qui passe et tourmente les feuillages. Tout peut se lire en lui. Il baigne dans cette impudeur qui est la forme extrême de l'innocence, et sa matière est si fine que la moindre parole l'agite infiniment. Le visage amoureux est visage du profond et du clair. Il revient du lointain, de ce temps où l'enfance était chassée de nos traits, comme on renvoie dans sa mansarde une servante malhabile. Il est fait de cette pureté en nous, que rien n'entame.

Il y a un principe de folie dans l'écriture, dans cet inlassable monologue d'une voix éprise d'elle-même, suffisante. Si un tel arrangement des mots est parfois secourable, c'est sans doute parce que notre cœur s'y retrouve tel qu'il est dans son fond : lui aussi enclos dans sa propre préférence et disputant toujours des mêmes choses, sans souci de conclure. Ressassant. Comment sortir de soi ? Parfois cette chose arrive, qui fait que nous ne sommes plus enfermés : un amour sans mesure. Un silence sans contraire. La contemplation d'un visage infini, fait de ciel et de terre.

VII

Une promenade sous un ciel blanc. On regarde les choses, une par une. On marche longtemps, on n'oublie rien. Enfin c'est le soir, et l'écriture commence, qui est bien peu de chose : on montre ce qui est. Dans ce qui est, il y a ce qui n'est pas, que l'on montre aussi.

J'aime votre silence, j'aime votre fatigue éternelle, j'aime votre rire. J'aime tout de vous, et je ne me lasse pas de vous contempler dans cette vie ordinaire qui vous exténue, pour laquelle vous avez les attentions les plus rares. Je vous regarde chasser l'ombre du visage d'un enfant, apaiser ceux qui vous accablent d'eux-mêmes, renouveler l'eau de fleurs blanches, dans un vase ébréché. Je vous vois aller dans la vie la plus humble — qui est aussi la plus haute — avec cette intelligence qui ne met pas en péril ce qu'elle éclaire : vous veillez, sans contraindre. Vous recueillez ce qui n'a pas lieu, vous écoutez ce qui n'est pas dit. Tout est obscur dans votre vie, car tout y est simple. Votre force est de ne jamais corrompre la faiblesse qui est dans les êtres, comme elle est dans les choses. Vous vous tenez auprès de l'amour comme auprès d'un jeune enfant malade, qui peut à tout instant se réveiller et mendier la faveur d'un regard, d'un verre d'eau ou d'un conte. Dans la vie de chaque jour, vous ne demandez rien. Dans la vie éternelle — qui ne supporte aucune circonstance — vous demandez l'infini, et rien de ce qu'on vous donne ne convient, rien de ce qui est ne suffit. Alors vous demeurez là, silencieuse auprès de votre désir, par quoi la solitude — en vous — se fait consciente. Vous êtes une femme étrange, et d'ailleurs, pour dire votre étrangeté, il suffirait de dire cela : vous êtes une femme, et, en tant que telle, vous préférerez toujours l'insaisissable désespoir à toute saisie d'amour. Qu'est-ce qu'aimer ? Que veut une femme lorsque, comme vous, elle s'habille d'un mot d'amour qui la dérobe à nos yeux et l'offre à nos songes ? Je ne sais pas. Peut-être n'y a-t-il, sous un ciel qui reste à inventer et à peindre, aucune distance entre la vie de chaque jour et la vie éternelle. Peut-être toutes différences entre l'amour et la solitude s'effacent-elles, dans l'exigence qui est leur source commune, unique. Peut-être. Je ne sais pas et j'écris pour savoir, je vous écris ces lettres qui n'égaleront jamais en pureté le simple fait de votre existence : écrire, c'est avoir une très haute conscience de soi-même, et c'est avoir conscience que l'on n'est pas à cette hauteur, que l'on n'y a jamais été.

C'est un mot obscur que celui d'amour. Il résonne dans nos cœurs comme le nom d'un pays lointain dont, depuis l'enfance, on a entendu vanter les cieux et les marbres. Il dit ce qui délivre, il dit ce qui tourmente. Il est enroulé sur lui-même, luisant et creux, comme ces coquillages que l'on porte à l'oreille pour y entendre l'infini.

VIII

Jours sans écritures. Dans le sommeil se trouve la force, dans cette sorte de vague qui protège des pensées — fausses — et des mouvements — inutiles. J'ouvre des livres, je feuillette des visages.

Je vois peu de gens durant votre absence, si j'excepte ceux qui sont dans les livres, ceux qui passent le gué des lectures vers les deux heures du matin. Ils ont une vie d'encre, ils mènent la vie que l'on ne peut mener le jour, où l'on porte le deuil de soi-même, devant faire allégeance, devant obéissance à tout. Ils ont des noms de forêt, des noms de voyage, des noms de grand fleuve, ils ont des noms de neige quand ils tombent dans le noir, tout au fond des yeux, après la dernière page. Ils ont une vie d'une seule coulée, ils passent très vite, resserrant toute une nuit de lecture dans l'éclair qui les frappe. Ils marchent sur eux-mêmes, dans la foulée d'un unique désir, dans la volonté d'une seule chose. Ce sont les ombres claires, ce sont les livres aimés.

Ils entrent dans nos vies avec le soir, avec la pluie, avec la violence de la pluie sur le sol de la chambre, par un volet mal tenu, par un carreau brisé, par l'irrépressible envie de mourir au sommet d'un amour, au secret d'une enfance. Les livres aimés nous enlèvent au plus loin de nous-mêmes, dans l'imaginaire du bonheur, dans le grand vent des récits, ils disent : regarde comme tout est beau, les lumières de ce soir, on dirait de la soie, de la peau, touche. Les livres aimés sont des rayons de miel fauve, de miel brun. Leurs pages sont venues comme ça, d'un seul coup. C'est l'auteur, c'est personne. Les manches de chemise retroussées jusqu'aux coudes, il a plongé son bras dans la ruche éternelle. Avec cette délicatesse des rustres, des sauvages, il a ramené ça, l'auteur, personne : quelques herbes, quelques phrases, quelques astres. Les livres aimés sont des blocs d'amour pur, un amour de personne, et c'est chaque fois la plus vive jalousie qui m'étreint, à voir votre visage, caressé par les lumières qui traînent les livres comme les voyous traînent les bars. Lorsque, par-dessus votre épaule, je regarde dans le livre, c'est pour y entendre ce que vous ne confiez à personne, pas même à vous : l'amertume et la douceur, la perte et le chagrin, la solitude sans oiseaux, sans champs et sans arbres. Les livres aimés nous rendent insupportables à nous-mêmes, on les aime d'un amour très proche de la haine, aussi clair, comme les saints dont les yeux sont si bleus qu'on y voudrait lancer des pierres, pour voir, pour ramener tout cela à la hauteur où nous sommes, qui est faible, dans l'ombre où nous vivons, qui est froide.

Dans la vie, il y a beaucoup de passé, beaucoup de choses qui durent et s'imposent du seul poids de leur mort. Dans les livres, il n'y a que du présent, que le pur immédiat d'une émotion qui se consume au fur et à mesure, sans laisser de cendres. Tels sont les livres dans mes nuits, tels sont les gens que je vois durant votre absence, et l'effondrement de leur visage — sitôt que j'en détourne les yeux — m'entretient avec éloquence de ce sol friable, poreux, sur quoi se passent mes heures.

IX

Lire, écrire. Celui qui écrit est séparé de toute société, et d'abord de celle qu'il forme avec soi. C'est d'un même mouvement qu'il s'efface dans le jour, et que le ciel s'avance sur la page. La phrase, c'est le rythme. Le rythme, c'est le souffle, et le souffle c'est l'âme non entravée dans sa capacité de jouir. Allant et venant. Inspirant, expirant.

L'amour est étincelant comme le vent sur la neige. L'amour est tendre comme la nuit étoilée. Son pas est plus doux que le silence. Sa parole est plus tranchante que l'éclair. Comme un voleur dans la nuit profonde, il entre dans nos vies, puis il attend. Il attend que l'on vienne où il est, il attend que nous venions en nous. Il reste là, dans les grandes prairies du sang, comme un oiseau cendré dans les longs roseaux verts. Il s'envole avec ce bruit que fait l'encre sur la page, comme le battement d'un cœur pur dans l'obscur de la chair. Si j'aime tant vous écrire, c'est pour entendre sa rumeur en moi, dans le drapé d'une phrase, dans le pli d'un silence. J'ai beau regarder ma vie en tous sens, je n'y vois rien d'autre à préserver que cette perte. Aimer quelqu'un, c'est le dépouiller de son âme, et c'est lui apprendre ainsi — dans ce rapt — combien son âme est grande, inépuisable et claire. Nous souffrons tous de cela : de n'être pas assez volés. Nous souffrons des forces qui sont en nous et que personne ne sait piller, pour nous les faire découvrir. Je suis ivre de cet amour qui me porte vers vous, comme vers celle qui recueille toutes les fleurs de mon nom. Je suis ivre de cet amour qui me ramène au bercail d'une enfance. L'amour est simple comme le jour, et il m'est aussi difficile de le louer qu'à l'herbe verte de chanter l'air qui la brûle, l'abandon qui la berce, et le ciel qui l'emporte. On dit : « Aimez-moi », mais ce n'est pas une demande, à peine une chanson. C'est le bruit du vent sur les herbes, dans le cloître des lumières. Nous ne sommes rien. L'amour est tout. Nous sommes avec l'amour comme l'ombre avec la lumière : elle s'y abîme, elle s'en nourrit. Elle échange sa substance — qui n'est rien — contre une autre — qui est tout. L'amour est pur, comme un ciel dont on dit qu'il est clair, quand il n'arrête plus rien. Il est frais, comme cette lumière de l'aube qui ne vient de nulle part. Il est vif, comme cette clarté du jour qui rapproche les lointains. L'amour est comme un peintre qui oublierait — chaque matin, dans son atelier — la vieille histoire du monde, pour saisir une fleur éternelle dans le tremblé de l'air.

Il n'y a pas d'autre art que l'art amoureux. C'est l'art souverain de la lenteur et de la vitesse. C'est l'art de susciter un éclair, sans jamais l'arrêter en l'orientant vers nous.

X

On va dans une forêt. Elle est très proche, elle est comme on désire. On marche dans l'air limpide. On écoute le bruit des pas sur les feuilles sèches. Parfois, on s'arrête : dans l'attention à quelque chose d'aussi simple que le vent sur une branche, c'est notre âme tout entière qui est sauvée, perdue.

Un jour, j'ai contemplé ma vie. Je l'ai prise entre mes bras, je l'ai trouvée trop grande pour moi et je vous l'ai offerte. Depuis ce temps, vous en faites ce que bon vous semble. Je ne sais rien de plus sur notre rencontre. Il n'y a pas de commencements dans l'amour. Il n'y a pas d'heures ni de saisons. Dans une vie, l'essentiel est toujours dépendant d'un détail. Le plus intime de nous est délivré par un rien. Ce qui nous est le plus cher — jusqu'à se confondre avec notre vie absente — nous arrive du dehors, dans le plus faible hasard d'une rencontre. Je suis tombé amoureux de vous pour un détail, pour un rien. Pour la brûlure de votre voix. Pour cette façon, le premier jour, de vous asseoir au plus loin de moi, un peu lasse et faussement attentive. Vous parliez en souriant, et vos paroles ne contenaient qu'à peine ce sourire indifférent. Vous étiez nue dans votre voix, bien plus que dans un lit. On peut s'éprendre d'une femme pour une manière de ramener ses cheveux sur sa nuque, pour la négligence dans sa voix, ou la lumière sur ses mains. Pour une raison aussi simple, on abandonne le tout de sa vie. L'instant de la rencontre se confond avec celui de la perte. On regarde. Comme dans l'éblouissement de naître, on regarde les objets, les lieux, les lumières. Avec avidité, on regarde celle qui entre en nous plus profond que le cœur. La douceur imprègne tous ses gestes. Son nom grandit en nous comme une énigme. Il se mélange aux choses, aux étoiles et aux sources. Il élargit le ciel. Nous sommes devant l'aimée comme le rêveur devant la flamme : son visage s'efface lentement, dans l'abîme d'une méditation. Ses songes prennent la teinte du vieil or. Bientôt ne demeure plus en lui que cette plus fine matière de la pensée : l'adoration. La solitude est une donnée naturelle, aussi imprévisible que la grêle ou la foudre. L'amour la porte à son terme, et le terme est atteint lorsque — devant nous — plus rien ne subsiste que cet obscur éclat du jour, recueilli dans un seul nom.

Le cœur est une flèche qui n'a pas d'autre cible qu'elle-même. Elle vole dans la lumière. Elle traverse les pensées, le ciel et les anges, sans rien perdre de son élan. Elle s'enfonce dans l'absence éternelle. Elle se perd dans l'amour infini.

XI

Longues journées d'été, si longues. On est sous la patience du bleu. Il y a trop à voir, on regarde à peine. La lenteur du songe accroît la vitesse des pensées, et il suffit d'ouvrir les mains pour que les choses y viennent, et les fleurs et le ciel. Longtemps, très longtemps ainsi. Les heures passent mais on ne les compte pas. On demeure là, près d'un silence. Comblé par le manque lumineux de tout.

Nous sommes en danger dans le temps de notre vie. Nous sommes dans le danger d'échanger la ferveur de nos jours contre la douceur d'une vie morte. C'est dans toutes les langues que, dans l'enfance, on nous apprend la soumission à la raison et aux sagesses. Le renoncement est le fruit de tout apprentissage. Il fait partie de l'évidence des saisons. Il en a la fatalité et la monotonie. Il n'y a pas de compromis entre nous et le monde. Il n'y a pas de repos ni d'alliance, et toute concession faite au monde ne peut l'être qu'au détriment de notre vie profonde. La solitude seule nous délivre. Elle nous est donnée par l'amour et se confond avec lui. La solitude épure la vue. Elle nous dit que nos jours passent plus vite que le vent sur les eaux, que notre âme est plus pauvre que l'ombre sur la terre. La solitude nous amène vers la plus simple lumière : nous ne connaîtrons jamais d'autre perfection que celle du manque. Nous n'éprouverons jamais d'autre plénitude que celle du vide, et l'amour qui nous dépouille de tout est celui qui nous prodigue le plus. C'est dans cette lumière que je vous aime. La force qui m'en vient est immense. On dirait une faiblesse, une fièvre, un tourment. Elle émane de l'amour comme le sang d'une plaie franche. Elle vous étonne et vous craignez qu'elle ne puisse longtemps se maintenir sans, un jour, céder à son propre vertige, pour aussitôt s'effondrer. Vous appelez parfois une telle chose du fin fond de votre âme, comme on appelle la catastrophe afin que — par sa venue — elle nous délivre du sombre pressentiment d'elle-même. C'est une chose qui se dit dans le monde et que parfois vous croyez : de toutes les éternités qui nous sont accordées, l'amour serait la plus périssable. Comment vous répondre ? Je regarde les autres femmes. Je les vois comme elles sont : belles et désirables. Les hommes aiment toujours les étrangères. Les jeunes femmes inconnues sont à leurs yeux la plus claire figure de l'invisible.

Elles touchent en eux l'enfance jamais comblée. Je regarde les autres femmes et aucune n'est comme vous êtes : contemporaine de ma naissance et de ma mort. Au centre de moi comme au centre de tout. Il n'y a rien en dehors de l'amour. Il n'y a rien en dehors de vous et je n'ai, pour vous en convaincre, que cette jouissance qui me vient de vous, de votre seule existence perdue dans le monde, sous le ciel, sous le bleu.

Dans la lutte avec l'ange, c'est en perdant que l'on triomphe. C'est en renonçant à toute maîtrise sur le cours d'un amour plus brûlant que notre âme.

XII

Promenades, encore. Je vais dans la forêt comme dans une lettre à venir : la page, c'est la lumière. Les mots, ce sont les choses. Je vais sans guère penser à moi, puisque tout vous appartient, le bleu qui est dans le ciel, comme l'obscur qui est dans le songe. Je suis au plus loin de moi, étant en vous. Je vais dans la forêt comme dans les abîmes de votre cœur.

La simplicité des jours sans événements est ce qui ressemble le plus à l'amour et, pour vous voir, il me suffit de considérer la brillance des heures calmes. J'écoute le bruit de l'eau sur les berges d'un étang. Il est semblable à celui d'un petit chat qui lape son lait. Je regarde les nuages qui passent dans le ciel. Légèrement défaits sur leurs bords, ils emmènent l'enfance avec eux. Comment vous dire ma joie dans cette bonté des choses, dans cette lumière du manque de vous ? La joie nous est donnée dans l'amour, comme on donne le jour, comme on donne la mort, comme on ouvre toutes les portes sur la folie de l'aube, d'un seul coup, d'une seule poussée. Elle vient du corps. Elle vient du profond de la terre renversée dans le sang. C'est avec la même violence qu'elle nous offre le monde, et qu'elle nous en arrache. On ne peut ni la dire, ni la taire. On ne peut qu'hésiter entre ces deux volontés — celle d'un silence sans défaut, celle d'une parole sans oubli — et faire de l'hésitation la matière même de son choix : chanter, écrire. Envelopper la joie dans l'étoffe d'une louange, comme une enfant sauvée du froid, des nuits, des loups.

Il arrive ainsi que notre vie passe devant nous, souriante, affairée sur la terre bienheureuse. Elle passe, elle nous ignore. Son pas est léger comme la neige. Son visage est fin comme du ciel. Nous la contemplons en retenant notre souffle. C'est fini déjà, elle est passée, elle est perdue, et nous n'en connaîtrons jamais rien d'autre que cette lumière étouffée dans le sang, comme aux fenêtres devant lesquelles on passe, la nuit venue. Cela arrive dans une enfance. Cela arrive dans un amour, et c'est comme perdre quelque chose que l'on n'a jamais eu. Ainsi sans doute écoute-t-on la parole des amants, des enfants ou des simples : sans trop y croire. Sans y prêter plus d'attention qu'au bourdonnement d'un insecte contre la vitre du sang. En devinant toutefois que cette parole déliée — lointaine dans l'air glacé — est la seule juste.

L'amour délivre en nous la belle étoile, tenue captive dans la haute chambre du jour. Il l'emporte aussitôt dans le fond du ciel pur : à peine l'aurons-nous entrevue, toute fraîche dans la rosée du regard.

XIII

La douceur d'aujourd'hui a écrit quelques pages. Il ne me reste plus qu'à les recopier. Dire les choses avec de l'encre qui est une chose pareille aux autres : soumise, éclairante dans la paix du soir.

Vous m'avez offert un bouquet de sept roses, autant que de jours de la semaine. Elles brûlent dans l'air limpide. Elles s'ouvrent dans la chambre profonde comme un ciel. Avec le soir, elles se referment sur votre absence. C'est une chose étrange que l'absence. Elle contient tout autant d'infini que la présence. J'ai appris cela dans l'attente, j'ai appris à aimer les heures creuses, les heures vides : c'est si beau d'attendre celle que l'on aime. Il y a le cœur qui gronde, qui cogne de joie, qui est comme un chien devinant le retour de son maître. Et puis il y a les pensées. Elles sont dépêchées par le cœur, elles lui reviennent chaque seconde, comme autant de noires messagères. Elles troublent la fête, car c'est une fête que d'attendre. Elles disent que l'on espère en vain, que notre désir s'est perdu et qu'il est déjà bien tard. Alors on est là, comme toujours dans la vie, entre l'instinct qui simplifie tout, qui va au plus vite, au plus loin, et cette poussière des pensées proches, sur le chemin. On est là, comme celui qui marche dans son rêve. Comme lui, on est immobile.

Un jour viendra où une main de lumière heurtera le bois du cœur, avec une telle insistance que je ne pourrai faire autrement que me lever, et ouvrir. À la question qui me sera alors posée, je ne saurai pas répondre, sinon par un sourire : je n'ai rien fait de ma vie. Je l'ai perdue le plus possible. Je l'ai oubliée sur la toile des saisons, comme on oublie un livre sur un banc, un nom dans son cœur. Je l'ai donnée à une passante. Elle en vêtait sa nudité. Elle y découpait ses rires les plus clairs. Je lui confiais mes songes, et d'ailleurs je ne rêvais que d'elle. Elle m'échappait sans cesse. Elle allait, elle venait. Elle dormait sous la page, aimantant mes pensées jusqu'à leur terme ultime : la fatigue, le silence. Elle était la mésange derrière la vitre, le dieu derrière le jour. Elle était sur mon chemin, et elle était le chemin même.

Il n'y a rien dans l'attente, que la vie seule, nue et pauvre. Elle ignore la défaite comme le triomphe, l'amertume comme la puissance. Elle ne sait que la grâce d'un silence sur la terre tendre, sous le ciel calme.

Elle nous apprend que l'amour est impossible et que, devant l'impossible, on ne peut réussir ni échouer, seulement maintenir un désir assez pur pour n'être défait par rien.

C'est vers la fin du jour, une promenade dans les bois, un dimanche. Celui qui marche est seul. Celui qui marche est fou. Il est fou, non parce qu'il est seul, mais parce qu'il ne va sur aucune terre, sous aucun ciel. Il marche dans un dimanche, dans une enfance, dans la poignance d'un sentiment sans force. Il cherche un passage dans la soudaine étroitesse des lumières. Chaque chose alentour porte un nom. Celui qui est seul marche dans l'ignorance de ces noms, dans la contagion de cette ignorance qui affecte secrètement son nom propre. Dans le fossé des herbes hautes, il va. Il n'a bientôt plus de visage et les mots dont il dispose ne sont plus qu'une poignée de fleurs sèches, légèrement bleuies.

Là, sans doute, se trouve la bienfaisance de toute nature : dans cette réserve d'oubli. Après on peut écrire. Après, quand on ne sait plus parler. On peut écrire une lettre, ou plusieurs. Elles vont vers celle que l'on aime, qui est en danger. On la voit dans l'urgence d'un regard, avec cette menace sur elle — comme un ciel orageux sur une petite silhouette claire, perdue sur la colline. Elle est dans le danger de s'oublier elle-même, d'oublier qui elle est, et de précipiter dans le noir, en même temps qu'elle, cette clarté invisible qu'un jour nous lui avons confiée, qui est notre bien le plus cher : un désir, une pensée qu'elle seule pourrait faire aboutir. Alors on lui envoie des lettres. Entre elle et sa mort, dans cet espace vide qui fait comme une longue droite tracée à la règle, on lance ces lettres, ces taches d'encre : l'amour qu'on a pour elle, qui se déclare d'un seul coup et qui n'empêche rien. Car on ne peut aider personne. On peut tout juste écrire des lettres et dire ce qui ne peut se dire. On peut aider l'enfant en bas âge à se nourrir : tenant d'une main ferme une cuillère d'argent, et faisant glisser entre ses lèvres minces les aliments liquides, au parfum de miel et d'automne. Mais l'on ne peut donner à personne de cette nourriture immatérielle qui nous assurerait contre le jour, contre la nuit et les dimanches, contre la mauvaise part de nous-mêmes, promise à la mort. La petite cuillère des mots est froide. La main tremble et tout se renverse avant d'atteindre la bouche. Et cependant l'on écrit : c'est bien qu'il y a encore quelque chose à donner, mais on ignore ce que c'est.

On le donne pour savoir ce que c'est.

DU MÊME AUTEUR

Aux Éditions Gallimard

LA PART MANQUANTE (Folio n° 2554)

LA FEMME À VENIR

UNE PETITE ROBE DE FÊTE (Folio n° 2466)

LE TRÈS-BAS (Folio n° 2681)

L'INESPÉRÉE

LA FOLLE ALLURE

DONNE-MOI QUELQUE CHOSE QUI NE MEURE PAS, en collaboration avec Édouard Boubat

Aux Éditions Fata Morgana

SOUVERAINETÉ DU VIDE (Folio n° 2680)

LETTRES D'OR (Folio n° 2680 *à la suite de* Souveraineté du vide)

L'HOMME DU DÉSASTRE

ÉLOGE DU RIEN

LE COLPORTEUR

LA VIE PASSANTE

LE LIVRE INUTILE

Aux Éditions Lettres Vives

L'ENCHANTEMENT SIMPLE

LE HUITIÈME JOUR DE LA SEMAINE

L'AUTRE VISAGE

L'ÉLOIGNEMENT DU MONDE

Aux Éditions Paroles d'Aube

LA MERVEILLE ET L'OBSCUR

Aux Éditions Brandes

LETTRE POURPRE

LE FEU DES CHAMBRES

Aux Éditions Le Temps qu'il fait

ISABELLE BRUGES

QUELQUES JOURS AVEC ELLES

L'ÉPUISEMENT

L'HOMME QUI MARCHE

Aux Éditions Théodore Balmoral

CŒUR DE NEIGE

Composition Traitext.
Impression Bussière
à Saint-Amand (Cher),
le 15 mars 1996.
Dépôt légal : mars 1996.
1er dépôt légal dans la collection : janvier 1995.
Numéro d'imprimeur : 607.
ISBN 2-07-039272-4./Imprimé en France.

76745